نَجْمُ الْبَحْرِ

نُجومٌ في الْبِحارِ

DISCARD

JUV/E/ Ar QL 384 .A8 R66125
Roop, Connie.
Najm al-ba̱hr

S0-AHO-831

No part of this publication may be reproduced, or stored in a retrieval system, or trans-
mitted in any form or by any means, electronic, mechanical, photocopying, recording,
or otherwise, without written permission of the publisher. For information regarding
permission, write to Scholastic Inc., Attention: Permissions Department, 555 Broadway,
New York, NY 10012.

Text copyright © 2002 by Connie and Peter Roop.
Illustrations copyright © 2002 by Carol Schwartz.
All rights reserved. Published by Scholastic Inc.
SCHOLASTIC and associated logos are trademarks and/or
registered trademarks of Scholastic Inc.

ISBN: 978-0-439-86382-7

First Arabic Edition, 2006. Printed in China.

1 2 3 4 5 6 7 8 9 10 62 11 10 09 08 07

R03237 11348

نَجْمُ الْبَحْرِ

نُجومٌ
في الْبِحارِ

تَأْليفُ: كوني وَ بيتِر رووب

رُسومُ: كارول شْوارتز

عَلى الشَّواطِىءِ الْبَحْرِيَّةِ،
وَفي قَعْرِ الْبِحارِ...

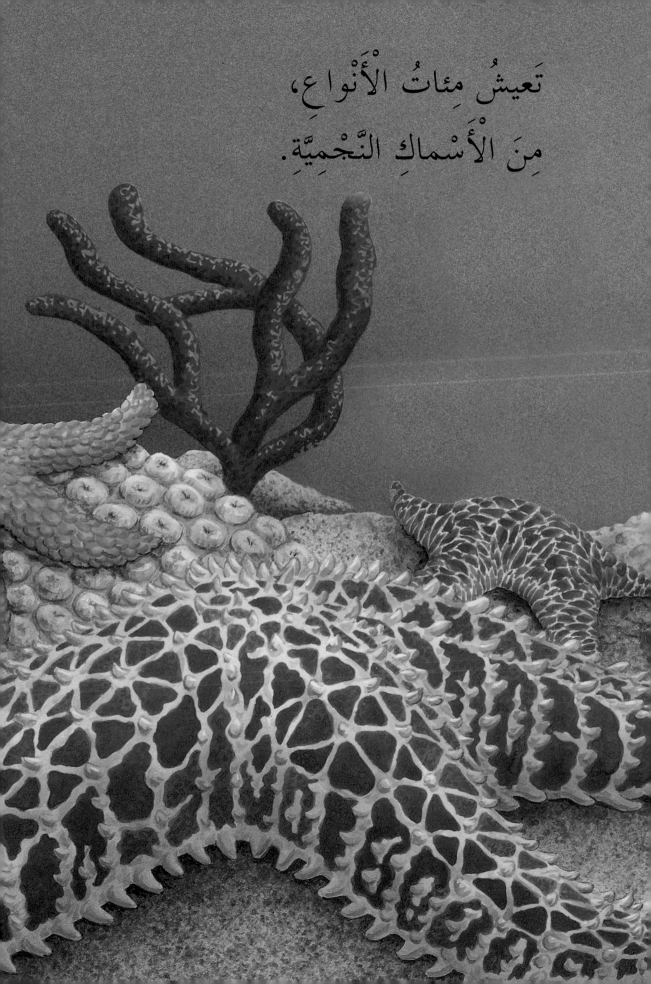

تَعيشُ مِئاتُ الْأَنْواعِ،
مِنَ الْأَسْماكِ النَّجْمِيَّةِ.

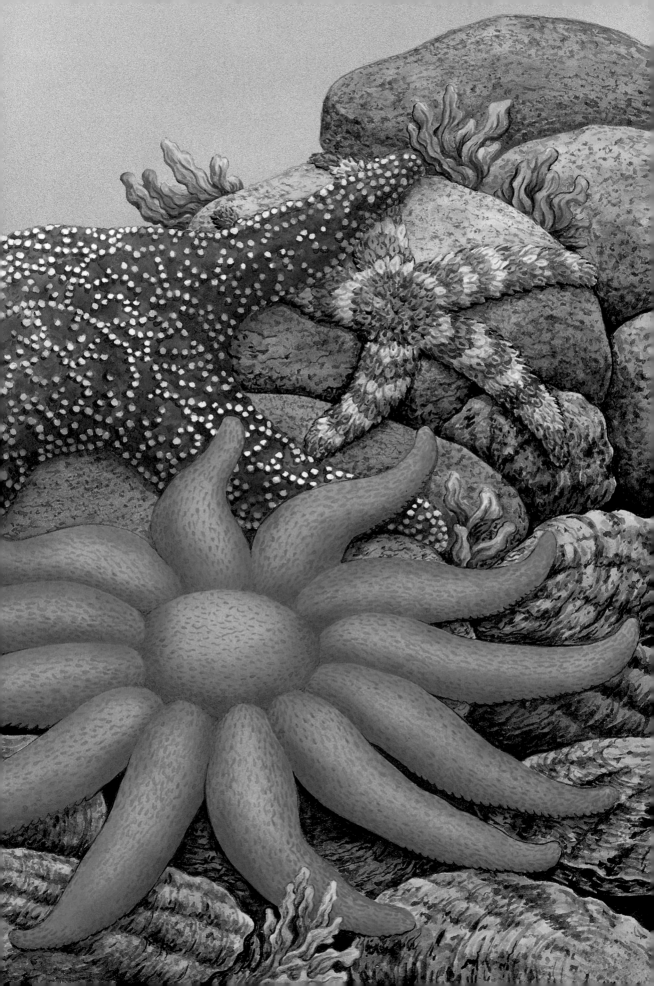

لَكِنَّ نُجومَ الْبَحْرِ لَيْسَتْ أَسْماكًا،
بَلْ مِنَ الْحَيَواناتِ اللّافِقْرِيَّةِ.
لَوْنُها أَصْفَرُ أَوْ بُرْتُقالِيٌّ،
وَأَيْضًا أَحْمَرُ أَوْ أُرْجُوانِيٌّ.

تَتَمَكَّنُ نُجومُ الْبِحارِ
مِنْ تَفادي الْأَخْطارِ.
فَأَلْوانُها الطَّبيعِيَّةُ
تُخْفيها عَنِ الْأَنْظارِ.

أَجْسامُها لَيِّنَةٌ، مَرِنَةٌ،

لِأَنَّها مِنَ الْعِظامِ خالِيَةٌ.

فَتَدْخُلُ أَصْغَرَ الْفَجَواتِ،

وَتَتَّقي بِها مِنَ الْهَجَماتِ.

نُجومُ الْبَحْرِ مَحْظوظَةٌ.
فَإِذا قُطِعَتْ إِحْدى أَذْرُعِها...

تَنْمو لَها ذِراعٌ جَديدَةٌ!

ذِراعُ نَجْمِ الْبَحْرِ
يُدْعى شُعاعًا.
عَلى طَرَفِهِ بُقَعًا،
تُمَيِّزُ اللَّيْلَ مِنَ النَّهارِ.

تَسْتَعِينُ نُجومُ الْبَحْرِ بِالْمِمَصّاتِ،

لِلزَّحْفِ وَالتَّنَقُّلاتِ.

تَمْسِكَ بِها الْأَصْدافَ كَاللِّزاقِ،

وَتَحْتَمِي بِها مِنَ الْانْزِلاقِ.

أَذْرُعُها مِثْلُ أَصابِعِ النّاسِ،
قادِرَةٌ عَلى اللَّمْسِ وَالْإِحْساسِ.

لَها ما يُشْبِهُ الْأَقْدامَ الْأُنْبوبِيَّةَ،
تَتَصَيَّدُ بِها الْحَيَواناتِ الصَّدَفِيَّةَ.

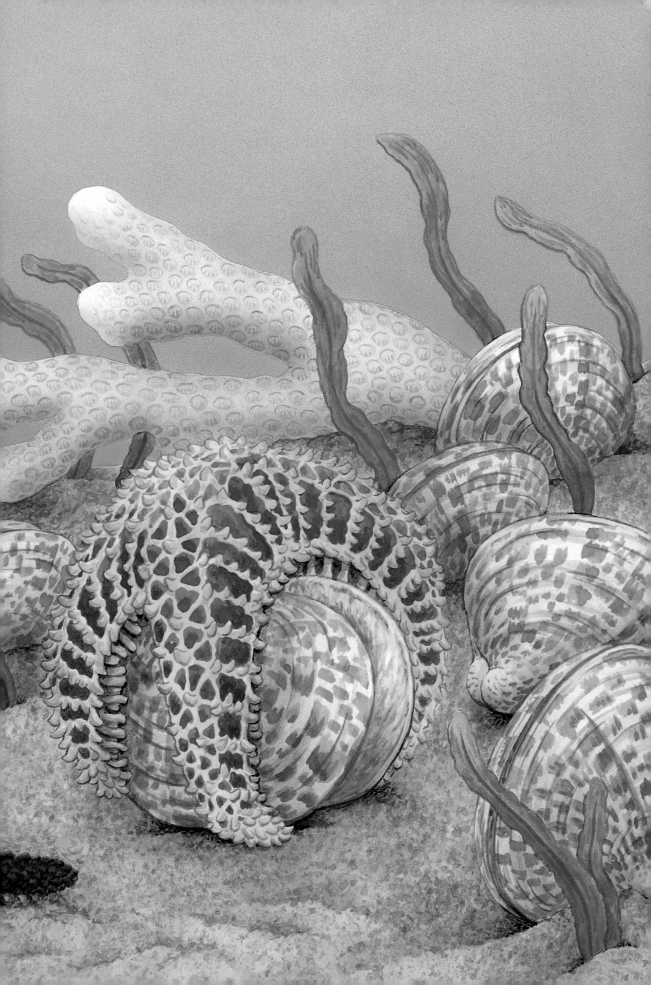

تَلْتَفُّ بِكُلِّ قُوَّتِها،
عَلى صَدَفَةِ الْقَوْقَعِ.
تَضْغَطُ، وَتَنْجَحُ في شَقِّها.
فَتَتَغَذّى بِجِسْمِها الْمُشْبِعِ.

لَيْسَ لِهذِهِ الْمَخْلوقاتِ أَسْنانٌ،
وَفَمُها في أَسْفَلِها كامِنٌ.

بَعْضُ أَنْواعِها يُقالُ لَهُ
نَجْمُ الْبَحْرِ الشَّمْسِيُّ،
وَبَعْضُها يُسَمّى نَجْمَ دَوّارِ الشَّمْسِ.

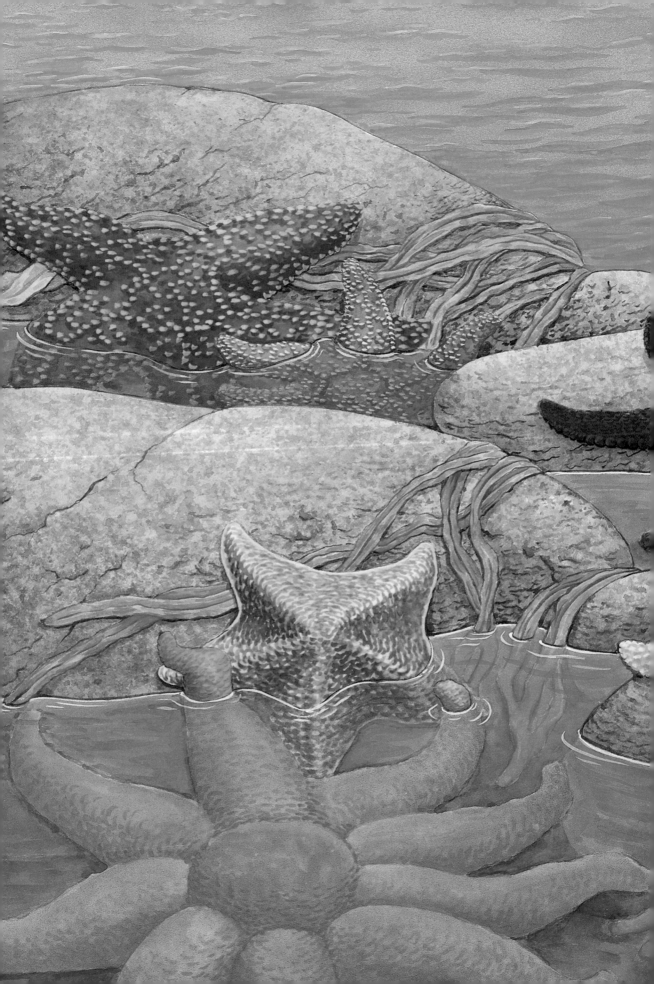

وَلكِنْ، أَيًّا كَانَتِ التَّسْمِيَةُ،
تَبْقى النُّجومُ الْبَحْرِيَّةُ...
حَيَواناتٍ مائِيَّةً لافِقْرِيَّةً.